D1067835

ARAIGNÉES

PORTRAITS DU MONDE ANIMAL

Paul Sterry

Ce livre a été conçu et produit par
Todtri Productions Limited

ISBN 2-7434-0552-X

Auteur : Paul Sterry
Traduction : Anne Gerber
Directeur de collection : Robert Tod
Conception graphique : Mark Weinberg
Coordination : Heather Weigel
Editeur : Edward Douglas
Editeurs assistantes : Cynthia Sternau, Linda Greer
Photocomposition : Nord Compo, Villeneuve-d'Ascq

Imprimé et relié à Singapour

CRÉDITS PHOTOGRAPHIQUES

Photographe/Numéro de page

Dembinsky Photo Associates
Ed Kanze 50
Gary Meszaros 28 (bas), 39 (haut)
Bill Lea 17 (bas)
Skip Moody 4, 6, 43
Ted Nelson 19

Brian Kenney, 5, 13, 15 (bas), 18 (gauche et droite), 21, 23 (haut et bas), 24-25, 27 (haut et bas), 30, 31, 32, 34, 36-37, 39 (bas), 46, 48-49, 52 (haut), 54 (bas), 56, 57, 59 (haut et bas), 63 (bas), 66, 67, 70, 71

Joe McDonald 41

Gail Shumway 62

Tom Stack & Associates
John Cancalosi 22, 47
Lysbeth Corsi 16 (haut)
David M. Dennis 3, 35 (haut), 53
George D. Dodge 12
Kerry T. Givens 40, 54 (haut)
Rod Planck 7, 11 (bas), 28 (haut), 29, 33, 51 (bas), 61 (bas), 63 (haut)
Milton Rand 15 (haut) 42, 45, 55
John Shaw 26, 35 (bas), 38, 52 (bas)
Denise Tackett 17 (haut)
G. & D. Thompson 10

The Wildlife Collection
Ken Deitcher 51 (haut), 69
John Guiustina 8-9, 16 (bas), 20
Clay Myers 58, 61 (haut)
Tim Laman 11 (haut), 14, 60, 64-65, 68

INTRODUCTION

Les lycoses se caractérisent par de longues pattes et de grandes chélicères. Ce gros plan sur la tête de cette lycose de Floride met en valeur ses deux paires d'yeux percés en vrille.

Qu'on les aime ou qu'on les déteste, les araignées sont proches de nous et participe à leur manière à la vie de la plupart des gens dans le monde. On les rencontre sur tous les continents et elles ont des représentants dans presque tous les milieux terrestres propres à la vie, appelés communément habitats. Certaines espèces se sont aventurées en eau douce et un petit nombre d'entre elles supportent même l'exposition à l'eau de mer. Il existe d'énormes variations entre les espèces, tant dans la couleur que dans la dimension puisque certaines sont plus petites qu'un grain de riz et que la plus grande ne tiendrait pas dans la main d'un homme.

Au sein du groupe des invertébrés, la classe des arachnides est en outre la plus nombreuse et les araignées abondent particulièrement dans les prés et les forêts. Dans la mesure où ces habitats naturels se retrouvent, sous une forme condensée, dans nos propres jardins, il n'est pas surprenant que nous entrions régulièrement en contact avec les araignées. Ajoutons à cela la prédilection de nombreuses espèces pour les endroits sombres de toute sorte ; rien d'étonnant alors que les araignées soient devenues des compagnons familiers des maisons où on les considère, selon le cas, comme des visiteurs bienvenus ou importuns.

Pour le naturaliste amateur, les araignées offrent un grand nombre d'occasion d'observation et d'étude. Leurs sens aiguisés et leur rapidité de réaction au moindre événement peut faire de leur observation un véritable défi mais la plupart des espèces sont suffisamment confiantes pour qu'on puisse les approcher si l'on procède avec ménagement.

Beaucoup d'araignées arborent de jolis dessins et sont plaisantes à regarder. Chez certaines espèces, la couleur sert manifestement de camouflage, mais, chez d'autres, les raisons de leurs coloris chatoyants risquent d'être difficiles à expliquer.

Mis à part le fait qu'elles possèdent toutes quatre paires de pattes, ce qui les distingue de la plupart des autres invertébrés apparemment similaires, les araignées ont une autre caractéristique commune, la plus manifeste et la plus frappante, leur capacité à produire de la soie. Certaines espèces utilisent cette aptitude essentiellement pour se nourrir mais, chez la plupart des araignées, la toile, et la soie qui la compose, font partie intégrante de la plupart des aspects de leur vie.

Toutes les araignées partagent encore une autre caractéristique : ce sont des prédateurs, la plupart du temps spécialisés dans la capture d'autres invertébrés. L'agilité de leurs pattes et les propriétés agglutinantes de la soie qu'elles fabriquent sont certes importantes mais ce sont essentiellement leurs crochets (ou chélicères) et leur capacité à produire du venin qui expliquent le succès de l'espèce. Rien d'étonnant si cette panoplie d'armes est aussi utile pour la défense que pour l'attaque ; du coup, les araignées doivent modifier leurs tendances, habituellement agressives, au cours de la délicate période de la parade nuptiale et de l'accouplement.

L'homme a toujours entretenu des relations quelque peu ambiguës avec les araignées. Symboles de chance pour certains et de malchance pour d'autres, il est souvent question de ces créatures fascinantes tant dans les légendes que dans les mythes populaires transmis par voie orale. Certaines personnes développent une phobie irrépressible vis-à-vis des araignées, tandis que d'autres les trouvent tellement attachantes qu'elles en élèvent chez elles à titre de compagnie familière. Marie Guyau se plaisait à évoquer l'araignée qui s'était prise d'amitié pour Spinoza. Délaissant ses austères travaux, le philosophe capturait des mouches pour elle et les lui jetait en riant, paraît-il, de la cruauté du monde...

Par rapport au reste de son corps, l'abdomen distendu de cette* Leucauge mabelae *est recouvert d'une peau molle qui arbore des taches très colorées.

En l'absence de gouttes de rosée sur ses fils, cette toile d'araignée serait pratiquement invisible, tant aux yeux d'un observateur humain qu'à ceux d'une proie potentielle, telle qu'un insecte volant.

QU'EST-CE QU'UNE ARAIGNÉE ?

Au sein du règne animal, les araignées font partie du groupe des invertébrés – ou animaux pluricellulaires non vertébrés – dont relèvent près des trois quarts de toutes les espèces connues de la science. Mais plus précisément, elles appartiennent au phylum, ou embranchement, des invertébrés, considéré comme le plus important : celui des arthropodes. A l'instar des autres membres de ce groupe, qui comprend des insectes, des crustacés, des myriapodes (notamment les mille-pattes), les araignées se caractérisent par leurs pattes articulées. A la place d'un squelette interne, elles ont en quelque sorte un squelette externe, qui se présente sous la forme d'une cuticule chitineuse.

L'embranchement des arthropodes se subdivise à son tour en classes, les araignées faisant partie de celle des arachnides ; elles ont pour cousins, car ils font partie de ce même embranchement, les scorpions, pseudo-scorpions, les membres de l'ordre des uropyges, les tiques et les mites. Toutefois, ces subtilités en matière de classification des invertébrés échappent à beaucoup de gens. La plupart des araignées sont immédiatement reconnaissables ; leurs quatre paires de pattes et la dimension de leur corps par rapport à la longueur de celles-ci trahissent immédiatement leur identité.

Structure et croissance

La classe la plus connue d'arthropodes, à laquelle les araignées ressemblent, du moins au premier abord, sont les insectes ; insectes et araignées ont le même exosquelette dur (chitineux) et des pattes articulées. Les insectes ont un corps divisé en trois parties nettement distinctes (segmentées) : la tête, le thorax et l'abdomen. Chez les araignées, en revanche, le corps est divisé seulement en deux sections bien définies car tête et thorax sont soudés pour former le céphalothorax ; recouvert d'une carapace protectrice à base de chitine, le céphalothorax est relié à l'abdomen, semblable à un sac, par un pédicule étroit (les araignées ont la taille fine).

Situés à l'avant du céphalothorax, les yeux, généralement huit (quatre paires), éléments vitaux pour l'araignée, lui permettent d'interpréter le monde qui l'entoure. Les plus importants sont la paire médiane ; ils sont entourés d'yeux plus petits dont la fonction est probablement de permettre à l'araignée d'y voir même sous une faible intensité lumineuse. Si les yeux sont clairs, ils permettent une activité nocturne, s'ils sont sombres, ils indiquent généralement une vie pratique diurne.

Les yeux des insectes comportent de nombreuses cellules séparées, chacune avec sa propre lentille,

Pages suivantes : En équilibre sur ses frêles pattes, une veuve noire (Latrodectus variolus) *attend sa prochaine victime. On rencontre cette espèce dangereuse même pour l'homme dans l'est des Etats-Unis où elle pénètre souvent dans les maisons bien qu'elle n'y soit pas la bienvenue.*

Les araignées de la famille des salticidés sont réputées pour leur capacité à franchir d'un bond de grandes distances, par rapport à leur petite taille. Cette aisance leur permet à la fois d'échapper au danger et de capturer des proies.

Pris dans la toile d'une argiope (Argiope sp.), *le sort de ce papillon* (Colias sp.) *est déjà scellé.*

Séduisante mais mortelle, la veuve noire d'Australie est entrée dans la mythologie populaire par sa morsure qui peut être fatale, même aux humains.

d'où leur nom d'yeux à facettes. Les yeux des araignées sont beaucoup plus simples ; leur lentille unique focalise sur une couche de cellules sensibles à la lumière. De nombreuses grandes espèces ont un regard des plus perçants ; mais, chez la plupart des araignées, le sens du toucher joue un rôle au moins aussi important dans leur vie quotidienne. Généralement, tout leur corps est recouvert de poils sensoriels, de même qu'elles portent partout des structures spéciales, appelées organes fendus. Ces deux types d'organes sensoriels sont reliés au système nerveux ; quant au cerveau, il se trouve également dans le céphalothorax. Les organes sensoriels aident l'araignée à s'orienter dans son environnement et à détecter ses proies ou un danger potentiel. Chez l'araignée, la bouche se trouve également à l'avant du céphalothorax. Les appendices que l'on y remarque le plus sont la paire de chélicères qui portent les crochets venimeux, dont l'importance est essentielle ; chez la plupart des espèces, ces crochets sont en opposition, sauf chez les mygalomorphes, ordre primitif, où ils sont recourbés vers le bas. En arrière des chélicères, se trouvent les pédipalpes qui, chez de nombreuses espèces, ressemblent à des pattes miniature. Les araignées — mâles et femelles — peuvent s'en servir pour manipuler la nourriture mais, chez les mâles, ils jouent un rôle important dans l'accouplement ; les pédipalpes mâles diffèrent légèrement des pédipalpes femelles. C'est sous le céphalothorax que viennent s'attacher les quatre paires de pattes, typiques des araignées et qui font que les humains les reconnaissent immédiatement comme telles. Ces pattes sont articulées de la même façon que chez les insectes et les différents segments sont recouverts de la même cuticule chitineuse que le reste du corps de l'araignée. Toutefois, cette cuticule est plus souple entre les articulations ; sinon, les mouvements de l'araignée s'en trouveraient quelque peu entravés. Telle qu'elle est, l'araignée, avec ses six articulations au niveau des pattes dispose d'une grande liberté de mouvement, les muscles nécessaires étant attachés aux parois intérieures de ces articulations. A l'extrémité du dernier segment, appelé tarse, se trouvent les griffes ; la plupart des araignées qui construisent des toiles en ont trois (les autres espèces n'en ayant que deux).

La surface supérieure du céphalothorax est protégée par une plaque chitineuse appelée carapace. La cuticule de l'abdomen, molle en comparaison, est loin d'être aussi renforcée, ce qui lui permet de voir son volume varier de façon considérable. La face supérieure de l'abdomen présente souvent des couleurs attrayantes avec des taches suggérant parfois que les ancêtres de l'araignée étaient des animaux segmentés. En avant de l'abdomen, sur la face inférieure, se trouvent les orifices du système respiratoire et du système reproducteur ; l'intérieur de l'abdomen abrite les organes vitaux des systèmes digestif, circulatoire, reproducteur et excrétoire ; la respiration est facilitée par la présence de poumons. C'est la seule façon dont les mygalomorphes, cet ordre primitif, respirent ; mais les ordres moins primitifs ont développé un système trachéal semblable à celui que l'on observe chez les insectes. A l'extrémité de l'abdomen, se trouvent les filières produisant la soie. Le principal problème que pose un exosquelette dur est qu'il entrave la croissance.

Si la toile de cette néphile géante n'est guère présentable, c'est parce qu'elle a été déchirée par de nombreuses victimes qui se sont prises dans ses fils de soie. Sa conceptrice va essayer de la réparer du mieux qu'elle peut.

Le corps de cette épeire **(Epeira raji)** *est couvert de poils sensitifs qui lui permettent de détecter la moindre vibration dans son environnement.*

A l'instar des larves et nymphes d'insectes, les jeunes araignées résolvent ce problème par une mue périodique. Comme chez les insectes, la mise en route de ce processus se caractérise par l'arrêt de l'alimentation. La première étape de la mue consiste en une rupture latérale du céphalothorax, sous la carapace. L'araignée stimule le processus par des mouvements du corps, effectués en rythme (comme une pompe) ; l'abdomen continue à se fendre latéralement. Finalement, l'araignée en extrait ses pattes et se libère totalement. La nouvelle cuticule est suffisamment souple pour permettre au corps de grandir, mais ce processus doit souvent être répété de nombreuses fois au cours de sa vie avant qu'une araignée puisse atteindre sa taille adulte. Il n'est pas étonnant que l'araignée soit extrêmement vulnérable pendant la mue. Généralement, elle l'effectue suspendue à un fil de soie, souvent dans la pénombre.

Classification

Les rapports entre les araignées et leurs cousins, également arthropodes, ont déjà été évoqués, les araignées appartenant à la classe des arachnides et à la sous-classe des aranéides ; cette dernière appartenance les distingue des autres arachnides, y compris de toute sorte de scorpions — dont les faux scorpions, les faucheux, les tiques, les mites.

Les araignées forment un groupe extrêmement divers en ce qui concerne l'aspect et le nombre d'espèces ; il existe plus de 30 000 espèces connues des scientifiques à l'heure actuelle et beaucoup plus restent encore à étudier. Il serait donc impossible d'appréhender la totalité de ces espèces dans un livre

Cette araignée-banane (**Phoneutria sp.**) *se rencontre dans les forêts tropicales humides du Pérou. Sa grande taille lui permet d'attraper des proies relativement grandes, telles que des sauterelles vertes d'Amérique et des cancrelats.*

En suspension dans son élégante toile, cette néphile (**Nephila clavipes**)*, filant une belle soie jaune, attend l'arrivée d'une proie ne se doutant de rien, par exemple un papillon.*

comme celui-ci. Cependant, le bref survol qui va suivre, offrira un arrière-plan utile à leur taxinomie, autrement dit à leur classification. Dans cet ouvrage, nous avons considéré deux ordres ; ils comprennent la majorité des espèces.

L'ordre des orthognathes, ou des mygalomorphes, comprend les araignées communément appelées mygales, dont un grand nombre sont des sujets de grande taille couverts de poils. Les mygalomorphes sont considérés comme un groupe primitif, essentiellement en raison de l'organisation de leurs chélicères, dirigées de haut en bas vers la victime. De nombreuses mygalomorphes vivent sous terre ; parmi celles-ci, nous citerons les mygales aviculaires (famille des théraphosidés), les mygales maçonnes (famille des cténizidés et des barychélidés), les agélènes (sous-famille des macrothgélinés) et les *Atypus affinis* (famille des atypidés. La majorité de ces espèces se rencontrent dans les climats chauds.

L'ordre des labidognathes est un groupe beaucoup plus vaste qui renferme presque toutes les autres espèces d'araignées, y compris celles qui sont les plus familières aux naturalistes attentifs. La disposition transversale de leurs chélicères — de telle sorte que leurs crochets venimeux fonctionnent pratiquement en opposition — est une caractéristique partagée par tous les membres de cet ordre et qui les distingue de celui des orthognathes ou mygalomorphes. Les labidognathes, ou encore parfois aranéomorphes, possèdent en outre un système trachéal qui les aide à respirer. Cet ordre renferme aussi bien des représentants de l'espèce construisant des toiles que des représentants qui n'en construisent pas. Parmi ces derniers, il faut citer les thomises (famille des thomisidés), les lycoses (famille des lycosidés) et les saltiques (famille des salticidés). Quant aux araignées

Cette agélène vient d'attraper un malheureux papillon dans sa toile. Le venin injecté à travers les chélicères va tuer la victime et commencer la digestion du contenu de son corps.

Cette araignée-babouin usambara, caractérisée par sa couleur orange, est installée à proximité de la peau dont elle s'est dépouillée. On voit nettement la séparation entre l'ancienne carapace et le reste de la peau ; celle-ci est le premier élément à se détacher pendant la mue.

A l'instar des autres arthropodes, les araignées doivent muer à intervalles réguliers afin de pouvoir grandir. Selon les espèces, la mue peut avoir lieu jusqu'à dix fois pour un même spécimen.

Sur cette araignée aux somptueuses couleurs, on peut voir nettement les quatre paires de pattes, caractéristique des araignées, ainsi que les filières situées près de l'extrémité de l'abdomen par où sort la soie.

construisant des toiles, on peut citer la petite araignée rouge (famille des linyphiidés), l'épeire, qui tisse des toiles orbiculaires (famille des aranéides), le faucheux (famille des pholcidés), la veuve (famille des théridiidés), et autres agélènes qui tissent une toile en forme d'entonnoir (famille des agélénidés).

Les spécialistes distinguent deux groupes dans l'ordre des labidognathes, dont l'un se compose des araignées dites cribellates, autrement dit celles qui sont munies d'un cribellum (plaque chitineuse, voisine des filières antérieures), et qui sécrètent une soie gluante, extrêmement fine. Peu de familles d'araignées appartiennent à ce groupe, la majorité des labidognathes ne présentant pas de cribellum.

Production de la soie et construction de la toile

La soie est une protéine produite par plusieurs sortes de glandes différentes situées dans l'abdomen. Celles-ci débouchent sur l'extérieur à travers des pores au niveau des filières à l'extrémité de l'abdomen. La soie est sécrétée sous forme liquide mais durcit au fur et à mesure qu'elle s'étire et non pas en séchant à l'air ; les fibres protéiniques s'orientent dans la même direction au cours de ce processus. La soie possède des propriétés différentes en fonction des différents types de glandes qui la produisent,

Pris dans la lumière d'un coucher de soleil, les fils de soie de la toile de cette néphile brillent comme de l'or.

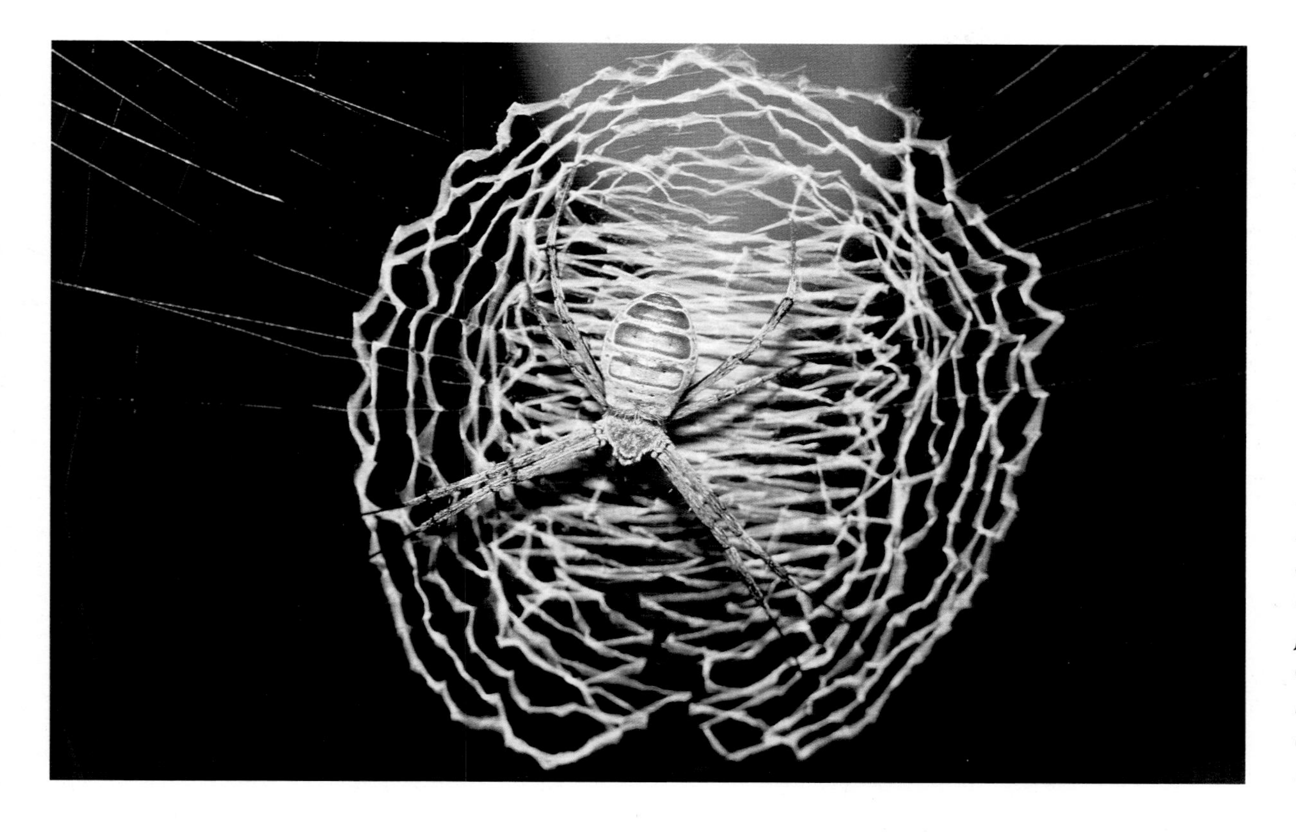

Cette Argiope sp. de Malaisie ne se contente pas de piéger ses victimes dans sa toile, elle se tient prête à attaquer tout ce qui viendra se heurter dans ses fils.

Rares sont ceux qui ont la moindre notion du nombre d'araignées qui prospèrent au beau milieu des prairies jusqu'au jour où l'heureuse combinaison d'une forte rosée et d'un rayon de soleil, quand celui-ci se lève, dévoile une infinité de toiles.

Les restes desséchés de son ancienne peau ont été abandonnés par son propriétaire, une **Dolomedes,** *grande araignée des ruisseaux et des marécages. On peut encore voir les ouvertures d'où elle a extrait ses pattes.*

chaque fonction correspondant à une série d'objectifs spécifiques. Toutes les araignées produisent un fil de soie qui leur sert de guide lorsqu'elles se déplacent dans l'environnement, ainsi qu'une soie leur permettant d'envelopper leur proie et d'y enfermer leurs œufs. Les épeires produisent d'autres types de soies pour construire et enduire leur toile.

Installez-vous dans une prairie par un chaud jour d'été et il est probable que vous verrez des fils de la Vierge pendre en feston sur la végétation et osciller sous la brise ; c'est lorsqu'ils sont à contre-jour et que le soleil brille qu'on les remarque le mieux. Bien que la plupart de ces fils de soie aient été réalisés par de minuscules jeunes araignées, il ne s'agit pas de toiles ratées. En fait, ces bébés araignées se servent de ces fils de soie pour gagner le vaste monde. L'abdomen tendu vers le ciel au-dessus d'elles, elles libèrent un flux de fils de soie, soulevés par des bouffées d'air chaud. Pendant un certain temps après leur naissance, le poids des petites araignées, bien que faible, est trop important pour la soie mais lorsqu'elles en ont produit assez, l'« emport » est suffisamment puissant pour les transporter à travers les airs. A présent à la merci du vent, certaines sont emportés au loin, parcourant ainsi des milliers de mètres dans l'air.

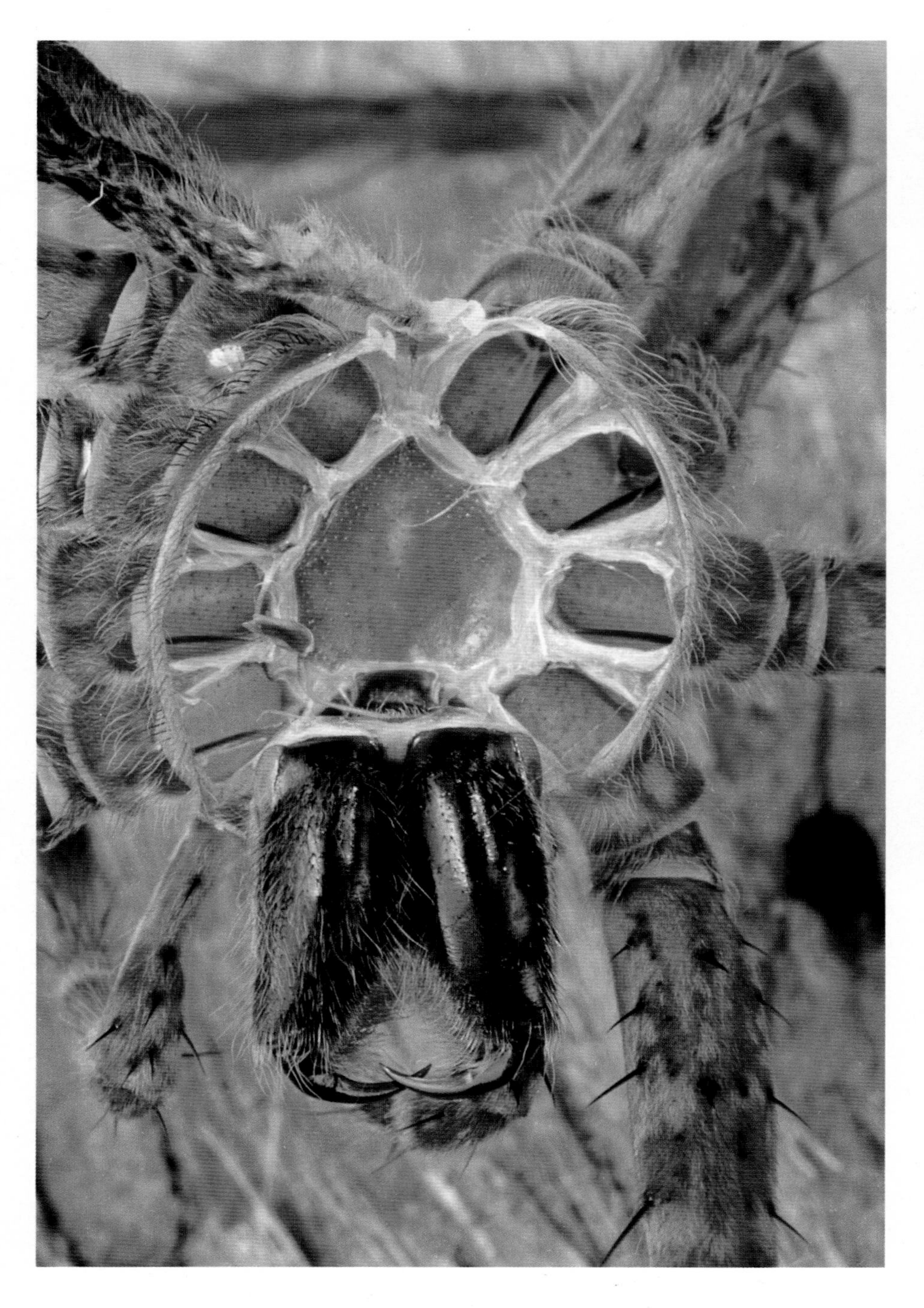

Les araignées, telle cette veuve noire **(Latrodectus mactans)** *utilisent leur soie non seulement pour construire des toiles en vue d'attraper des proies et d'élever leurs petits, mais également comme un moyen pour se déplacer dans leur environnement.*

Les toiles d'araignée ne sont pas toutes construites dans un plan vertical. Celle que l'on peut voir ici a subi une torsion géométrique séduisante et d'un aspect parfait.

PRÉDATEURS !

Il est étonnant que, chez un groupe aussi vaste et aussi divers que celui des araignées, chaque espèce soit carnivore. La majorité se nourrissent d'invertébrés, surtout d'insectes. Etant donné les énormes variations que l'on constate chez les araignées, tant de taille que de forme, il n'est pas étonnant que leurs proies soient, elles aussi, différentes, selon l'espèce. Certaines araignées capturent des cloportes à cuirasses tandis qu'un petit nombre d'espèces se nourrit d'autres araignées ou volent leurs proies sur les toiles d'autres membres de leur propre espèce. Chez les énormes mygalomorphes notamment, certains spécimens capturent régulièrement des vertébrés, y compris de petits mammifères et des oiseaux. Un très petit nombre, comme le *Dolomedes fimbriatus*, utilise même une habile technique de pêche et est capable de leurrer insectes aquatiques et tout petits poissons qu'il attire en surface, pour les saisir, en faisant vibrer l'eau de ses pattes antérieures.

Chélicères et venin

Lorsqu'il s'agit de capturer et de neutraliser une proie, l'araignée dispose d'atouts considérables : ses chélicères et son venin. Comme on l'a dit précédemment, les chélicères se situent de chaque côté de la bouche de l'araignée. Chez les mygalomorphes, ordre dont les spécimens sont souvent grands, mais classés comme primitifs, les chélicères plongent dans la victime selon un mouvement orienté de haut en bas. C'est parfaitement efficace lorsque la victime se trouve sur le sol et que cette attaque bénéficie ainsi d'un point d'appui. En revanche, quand ce n'est pas le cas, ce système devient relativement inefficace. Les autres espèces, y compris les épeires, possèdent des chélicères transversales, ce qui leur permet de transpercer leur proie dans un mouvement ressemblant à celui d'une pince.

Fonctionnant comme une seringue hypodermique, les chélicères sont des tubes creux à travers lesquels passe le venin injecté dans la victime ; celui-ci est produit par des glandes qui se trouvent à la base des chélicères. La composition et les propriétés du venin varient d'une espèce à l'autre mais, chaque fois, il remplit la même fonction : paralyser la victime. Chez certaines araignées, le venin tue la proie et en digère, du moins en partie, les organes internes par l'action de ses enzymes.

Bien que les araignées capturent toute sorte de proies, elles ont en fait un régime liquide. Les espèces qui injectent, avec leur venin, des enzymes dans leur victime, se bornent à aspirer ensuite le contenu du

Cette grande mygale aviculaire, qui appartient à l'ordre des mygalomorphes, se promène sur le sol d'une forêt tropicale humide. Elle peut s'attaquer à des proies de la taille des grandes sauterelles d'Amérique, des souris et même des petits oiseaux, à condition de pouvoir les attraper.

Sa grande taille permet à cette araignée-babouin usambara de se promener en toute confiance sur ce tapis forestier. Rares sont les prédateurs qui s'attaqueront à cette grande espèce africaine.

corps de cette dernière, déjà digéré, laissant derrière elles un exosquelette vide d'arthropode. D'autres font macérer leur proie dans leur bouche puis régurgitent des enzymes digestives sur la victime ainsi « exprimée » ; elles aspirent ensuite cette « soupe » nutritive. L'ingestion des fluides corporels est effectuée par un estomac puissant, véritable pompe aspirante, située à l'avant du système digestif.

Chélicères et venin sont utiles non seulement pour l'attaque, mais aussi pour la défense. Quiconque d'assez malchanceux pour avoir ressenti la morsure d'une grande araignée domestique, par exemple en la « bousculant » pour la faire sortir d'une baignoire ou d'un évier, aura constaté la douleur aiguë de la morsure, proche de celle provoquée par une piqûre de guêpe pas trop méchante, mais souvent exacerbée par l'injection du venin. Si la morsure d'une araignée domestique ne peut guère avoir de graves répercussions, on ne peut pas en dire autant de celles de quelques autres espèces. Par exemple, la morsure de l'*Atrax robustus*, est réputée être parfois mortelle. Il arrive que cette espèce soit agressive, en particulier lorsque les jardiniers dérangent, sans le vouloir, la toile en entonnoir de la femelle cachée dans le sol. Autre exemple bien connu, celui de la veuve noire *(Latrodectus mactans)*, largement répandue aux États-Unis. Bien que rarement fatale, sa morsure provoque de graves douleurs qui peuvent perdurer pendant plus d'une semaine.

Pages suivantes : Véritable monstre, cette araignée-babouin royal (Citharischius crawshayi) *parcourt d'un pas lourd le sol de cette forêt africaine. Pattes étalées, elle peut remplir la paume de main d'un homme.*

Hôte familier des maisons américaines, cette araignée domestique a construit sa toile en forme d'entonnoir et un peu brouillonne dans une lézarde. Ces araignées rendent un véritable service en se nourrissant de toute sorte d'insectes.

Inconsciente du danger qu'elle court, cette libellule, qui vient de se poser sur cette fleur, va incessamment être capturée par cette araignée-lynx verte (Peucetia viridans). *Bien que la libellule soit un insecte volant, cela ne lui servira à rien en cette dernière occurence de sa vie étant donné la prestesse de l'araignée.*

Cette mygale aviculaire (Avicularia metallica) *est originaire des forêts tropicales du Pérou. Sa grande taille lui a permis de capturer une sauterelle d'Amérique, créature elle aussi imposante.*

Le monde de la thomise

Imaginez une journée ensoleillée d'été dans une clairière au beau milieu d'une forêt d'Amérique du Nord. Les fleurs sauvages riches en couleurs abondent et sont constamment visitées par des insectes qui se nourrissent de nectar et qui pullulent dans l'air. Une fleur semble particulièrement appétissante et attire l'attention d'un papillon, un spécimen de la famille des nymphalidés par exemple, qui passe à proximité.

Alléché par la perspective d'un nectar riche en sucre, l'insecte sera rien moins que déçu. En effet, c'est une thomise, parfaitement camouflée, qui le saisit dans une étreinte mortelle. Pendant près d'une demi-heure, papillon et araignée resteront comme soudés ensemble, le papillon semblant s'offrir un repas inégalé. Mais, bien sûr, c'est l'araignée qui festoie et lorsqu'elle aura fini son repas, les restes, apparemment intacts mais complètement vidés de leur contenu du papillon, s'envoleront au vent avant de retomber sans vie sur le sol...

Il semble que partout dans le monde où se trouvent des fleurs riches en couleur, il y ait également des thomises. Bien que cette forme de leurre ne soit pas utilisée par toutes les espèces de la famille des *Misumena vatia*, un très grand nombre d'entre elles y ont recours et certaines arborent le plus remarquable des camouflages. Les thomises roses s'instal-

Non, ce n'est pas une fleur mais bien une jolie thomise toute blanche qui vient de s'emparer de sa victime, une tipule.

Perchée sur les pétales blancs de cette marguerite, cette thomise semble parfaitement invisible aux yeux de la libellule qui a décidé de se reposer là.

Sous l'emprise d'une étreinte mortelle ! Cette thomise (Misumena vatia) *vient d'attraper ce papillon (un damier). Lorsque les fluides corporels de la victime auront été complètement aspirés et que la peau de l'insecte sera desséchée, celle-ci s'envolera au vent...*

Passée maître dans l'art du camouflage, cette thomise a trouvé la fleur dont la couleur correspond parfaitement à la sienne. Installée dessus, elle va attendre patiemment l'arrivée d'un insecte venu s'y poser pour s'en nourrir.

Si cette thomise a réussi à neutraliser ce bombylidé, c'est grâce à la puissance de son venin.

Paralyser sa victime, la thomise y parvient rapidement, mais traîner le corps de celle-ci lui prendra une bonne heure.

lent sur des fleurs roses et les jaunes sur des fleurs jaunes ; certaines espèces affichent même une remarquable ressemblance avec la forme des pétales sur lesquels on les trouve. La thomise jaune (*Thomisus onustus*) est une espèce commune en Europe. Les spécimens sont d'un jaune crémeux et préfèrent généralement s'installer sur des fleurs jaunes. Ils aiment également honorer de leur présence les marguerites, ces fleurs au centre jaune et aux pétales blancs. Dans ce cas, l'araignée s'installe toujours au milieu, tirant le meilleur parti de sa propre couleur. En général, les thomises s'accrochent à la fleur sur laquelle elles s'installent à l'aide de leurs deux paires de pattes arrière, leurs deux longues pattes avant — armées de griffes — tendues vers le ciel dans l'attente d'une victime. Lorsqu'un papillon, ou tout autre insecte, se pose sur la fleur pour se nourrir, celles-ci se referment sur lui et se saisissent de leur victime ; l'intérieur de l'insecte est ensuite pompé par l'araignée. Il arrive que le papillon se pose trop loin sur la fleur pour pouvoir être attrapé par l'araignée ; alors, celle-ci change de position avec lenteur et précaution afin d'en adopter une meilleure pour capturer sa proie.

A l'instar d'autres membres de son espèce, cette thomise géante **(Heteropoda venatoria)** *présente un corps particulièrement plat et de longues pattes formant un angle vers l'avant ; ces caractéristiques sont typiques de la famille des sparassidés.*

Observez la carapace d'une araignée telle que cette thomise géante **(Heteropoda venatoria)** *et vous y décèlerez facilement de nombreuses caractéristiques des arachnides. Constatez comme la peau est fine là où elle recouvre les paires d'yeux ; si cette araignée était vivante, ses yeux seraient de couleur sombre.*

Rares sont ceux qui plaindraient le sort de ce taon, capturé par ce spécimen à la couleur très foncée de la famille des salticidés* (Phidippus audax). *Ces prédateurs invertébrés que sont les araignées remplissent un rôle non négligeable de régulateur de population chez de nombreuses espèces d'insectes.

avant touchant la surface ; les rides tremblées qui lui signalent un petit poisson venant grignoter un débris ou une libellule s'y posant, suffisent pour que l'araignée passe à l'attaque. Si un insecte tombe dans l'eau, elle se précipite dessus et paralyse sa proie par une morsure ; la taille de ses chélicères n'est pas négligeable. Si la proie est un petit poisson, l'araignée plonge sous l'eau, s'empare, avec ses pattes, de la malheureuse créature et l'immobilise rapidement.

L'araignée d'eau (*Dolomedes sp.*) est une espèce encore plus extraordinaire, qui vit dans les lacs et étangs d'Europe. Il arrive que des observateurs paisibles, assis au bord de l'eau, voient son corps argenté se déplacer « à travers » celle-ci ; cet effet de type miroir est engendré par l'air emprisonné par les poils de son abdomen. En l'observant dans l'eau ou dans un aquarium on peut apprécier à leur juste valeur son mode de vie et ses habitudes alimentaires.

Il faut environ une journée à l'araignée d'eau pour construire une toile immergée en forme de dôme — ressemblant à un bol placé à l'envers — qu'elle tisse parmi les plantes aquatiques. Une fois sa tâche accomplie, l'araignée se livre à des allers et retours répétés en surface ; elle s'y réapprovisionne en air en poussant l'extrémité de son abdomen à la surface qu'elle transporte vers sa toile pour l'y libérer. Puis elle s'installe dans la cloche de plongée qu'elle a ainsi confectionnée et attend. Ses proies peuvent être des insectes aquatiques passant à proximité ou des insectes terrestres ou aériens tombés dans l'eau ; les fils de soie relient la toile remplie d'air aux plantes en surface, ou à proximité de celle-ci, et l'araignée réagit rapidement aux vibrations qu'elle ressent. Une fois sa proie capturée, elle retourne dans sa cloche sub-aquatique pour consommer son repas à la façon de toutes les autres araignées.

Une paire d'yeux extrêmement grands sont caractéristiques des araignées de la famille des salticidés, comme ce spécimen de **Phidippus audax.** *Chez cette araignée, le rapport entre les pattes et le corps est également très différent de celui qui existe chez d'autres familles, puisque les pattes sont étonnamment courtes.*

Le temps de réaction de cette mouche a été trop long par rapport à la rapidité de l'attaque de ce spécimen de **Phidippus arizonensis,** *capable de ramper tout doucement jusqu'à sa proie avant de sauter sur elle d'un bond.*

Pages suivantes :
Le rapport des pattes au corps que l'on peut voir ici est tout à fait caractéristique des lycosidés. Ces chasseurs alertes et actifs se fient plus à leur vitesse qu'à leur toile pour attraper leur proie.

De très longues pattes et une peau imperméable permettent à ce Dolomedes *mâle à six taches de marcher à la surface de l'eau. Lorsqu'un insecte y tombe, cette araignée peut détecter les ondes que provoquent ses mouvements lorsqu'il s'y débat.*

A l'affût sur son tapis de feuilles flottantes, cette Dolomedes triton *exerce ses talents halieutiques : elle vient de capturer ce pauvre petit vairon qui eut la mauvaise fortune de venir affleurer la surface à la portée de ses terribles pattes...*

Lorsqu'un danger la menace, la Dolomedes *peut plonger sous l'eau. Elle trahit souvent sa présence par les reflets argentés produits par l'air pris dans ses poils. On voit ici une* Dolomedes fimbriatus *femelle immergée.*

et destinées à la capture des insectes volants. Chez les grandes espèces tropicales, les toiles sont parfois suffisamment vastes et résistantes pour leur permettre d'attraper de petits oiseaux ou des chauve-souris bien qu'en général elles visent la capture d'insectes. Quand l'araignée construit sa toile, elle commence invariablement par lâcher un fin fil de soie à partir d'un endroit sûr et élevé, au sein de la végétation. Le vent fait dériver le fil jusqu'à ce qu'il entre en contact avec une branche ou une feuille. Ayant ainsi établi un pont dans le vide, l'araignée renforce alors ce fil en rampant tout au long ; tendu à l'horizontale, ce sera le fil supérieur de la toile. L'araignée forme ensuite un Y en reliant les deux points d'attache supérieurs à une branche ou une brindille située plus bas ; le centre de ce Y sera le centre de la toile. L'araignée continue à générer le cadre extérieur de la toile puis construit des lignes radiales. La dernière étape consiste à filer un cadre en spirale partant du centre et allant vers l'extérieur. Une fois cela réalisé, l'araignée commence à produire une soie collante et revient sur ses pas, vers l'intérieur, supprimant, en le dévorant, le premier cadre spiralé au fur et à mesure qu'elle avance.

Une fois la toile achevée, elle s'y installe et attend qu'un insecte imprudent devienne son repas ; certaines espèces s'installent à l'abri d'une feuille proche, d'autres se placent, la tête en bas au centre de la toile. Lorsqu'un insecte volant heurte la toile et se trouve ainsi pris au piège, les vibrations provoquées par ses sursauts alertent l'araignée qui se précipite alors sur sa victime. Selon l'espèce considérée, l'insecte sera paralysé sur place ou enveloppé, comme dans un cocon, la paralysie se produisant dans ce cas plus lentement. Les araignées peuvent traverser facilement leur propre toile, pourtant collante, parce qu'elles se déplacent le long des radiales qui, elles, ne collent pas. Leurs pattes sont également revêtues d'une gaine empêchant toute adhérence.

Par un matin brumeux, les toiles irrégulières des linyphies peuvent être tout aussi impressionnantes, en quantité sinon en qualité. Bien que ces araignées soient généralement petites et ne produisent pas les merveilles architecturales de leurs cousines les épeires, elles construisent de vastes toiles qui recouvrent la végétation à la fin de l'été. Chez certaines espèces, ces toiles ploient sous leur poids, ce qui les fait ressembler à un hamac. Les linyphies vivent sous leur toile et détectent les mouvements du moindre insecte qui tombe à la surface de celle-ci. Elles le tirent ensuite au travers de la toile et le paralysent. Les dommages sont réparés une fois que la proie a été engloutie.

Bien qu'elles ne soient pas les seules à produire de la soie, les araignées ont poussé l'art de son utilisation dans la création de toiles à un point tel qu'aucun autre groupe animal ne peut les battre, tant en habileté qu'en précision.

Ce malheureux criquet s'est empêtré dans la toile d'une argiope (Argiope aurantia), caractérisée par un abdomen recouvert d'un dessin jaune et noir. L'araignée a paralysé sa victime et l'enveloppe dans un cocon de soie pour la consommer ultérieurement.

COMPORTEMENT DES ARAIGNÉES

Le trait le plus connu et le plus couramment rapporté des mœurs des araignées, le cannibalisme nuptial, a souvent donné lieu à des généralisations abusives et à des exagérations psychologiques. Que le moment où la vie soit transmise doive coïncider avec la destruction du partenaire mâle et sa dévoration par la femelle constituerait un défi biologique qui amènerait inévitablement au déclin et à la disparition de l'espèce. En réalité, très peu d'araignées comme les argiopes ou la femelle d'*Araneus diadematus* pratiquent effectivement le cannibalisme nuptial, de manière systématique — ce qui conduit à penser que les victimes, trop peu agiles pour sauver leur vie, en touchaient de toute façon le terme. Le cannibalisme mortuaire de certaines mygales qui transportent dans leur terrier le cadavre du défunt pour l'y consommer n'a pas donné lieu à autant d'extrapolations...

Dimorphisme sexuel

Une des caractéristiques les plus frappantes chez de nombreuses espèces d'araignées est la taille du mâle, plus petite que celle de la femelle. La première explication de ce phénomène qui vienne à l'esprit est que cette dernière doit pouvoir pondre un grand nombre d'œufs – qui occupent un vaste volume par rapport à la taille de son corps. Mais, en se plaçant d'un autre point de vue, on pourrait considérer que, chez certaines espèces du moins, la petite taille du mâle serait un avantage pour lui : ainsi sa partenaire ne risquerait pas de le considérer comme une proie éventuelle...

La structure de l'appareil reproducteur du mâle et de la femelle et la façon dont se déroule la fécondation exigent un contact intime, contact qui, chez la plupart des espèces, se fait notamment au niveau des chélicères et de la bouche. Avant que l'accouplement puisse avoir lieu, le mâle doit effectuer une série d'opérations compliquées consistant à transférer son sperme de l'orifice génital vers certaines parties de sa bouche ayant subi une modification spécifique. Chez la plupart des araignées, le mâle commence par filer une petite toile sur laquelle il dépose son sperme. Ensuite, tout en tournant autour, il prélève celui-ci qu'il place dans des organes de stockage en forme de bulbe, dont le volume peut être modifié, appelés cymbiums, dont l'un se trouve auprès de l'extrémité des deux palpes. Le cymbium aspire le liquide à la manière d'une seringue.

L'orifice génital de la femelle se termine par l'épigyne ; c'est dans l'épigyne que le mâle introduit le cymbium et transfère ainsi le sperme ; chez chaque espèce, la forme de l'épigyne est parfaitement adaptée à celle du cymbium. Ensuite, la femelle stocke le sperme dans une sorte de sac appelé spermatophore ; chez certaines espèces, le sperme peut être conservé pendant plus d'un an avant de servir à féconder les œufs.

La mère attentionnée de cette larve de guêpe maçonne lui a procuré un garde-manger vivant. Immobilisées par l'aiguillon de la guêpe, les araignées restent néanmoins en vie jusqu'à ce qu'elles aient été entièrement dévorées par la larve.

Bien que la plupart des araignées se bornent à sucer leur proie jusqu'à dessèchement complet, certaines espèces, aux puissantes mâchoires, déchiquètent parfois leur victime pour accélérer le processus.

Parade nuptiale et accouplement

Si certaines espèces, où le mâle et la femelle sont de taille similaire, adoptent un comportement de parade ressemblant à un véritable corps à corps, une telle stratégie condamnerait probablement le mâle dès le départ lorsqu'il y a une grande différence de taille entre les deux sexes. Il n'est donc pas étonnant, dans ce cas, que les mâles prennent le moins de risques possible et annoncent leur arrivée longtemps à l'avance afin d'induire la soumission préalable de la femelle. Il semble que, dans de nombreux cas, la femelle soit repérée par le mâle grâce aux phéromones — un message chimique — qu'elle émet. Chez les espèces qui construisent des toiles, le mâle commence par imprimer de petites secousses au fil extérieur de la toile de la femelle. Tout d'abord, cela provoque généralement une réponse sous forme d'attaque qui ressemble à ce qui se passe lorsqu'un insecte s'est pris dans la toile. Il arrive que la réponse de la femelle exige du mâle une retraite précipitée mais il ne se décourage pas et répète sa manœuvre

Pages suivantes : *Les bébés araignées viennent de sortir du sac d'œufs et leur mère, une lycose de Caroline* (Lycosa carolinensis) *les transporte tout grouillants sur son dos.*

*Ce spécimen d'*Araneus trifolium *vient tout juste de capturer une guêpe. L'araignée enrobe de soie sa victime paralysée afin de mieux neutraliser un insecte qui, sinon, risquerait de s'avérer dangereux.*

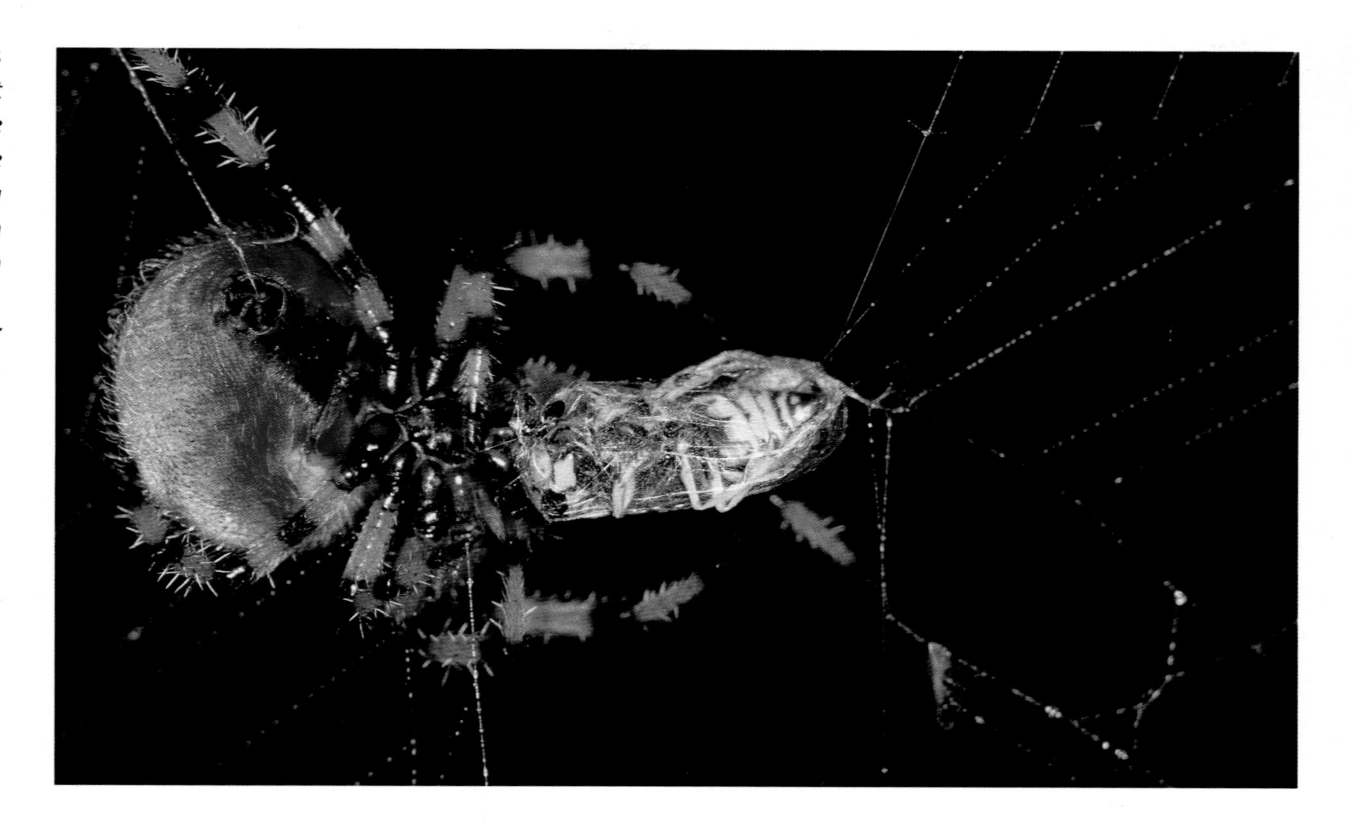

Ce spécimen de Gasteracantha elipsoides*, à l'instar d'autres membres de ce genre, arbore d'étranges protubérances épineuses sur son abdomen.*

Installée au centre de sa toile, cette épeire femelle présente un abdomen plein d'œufs en plein développement.

Bien que prédateurs vigoureux, les araignées ne sont pas protégées de toute attaque. Cette thomise est en train de subir l'assaut d'un membre de l'ordre des coléoptères, un scarabée mangeur d'araignées.

de ces derniers, les araignées ont mis au point toute une série de moyens d'autodéfense — le premier consistant à éviter d'être découvertes.

Menaces et dangers

De la simple observation, ainsi que des mathématiques, le naturaliste déduira que, puisque le nombre des araignées communes, vivant dans les maisons ou les jardins, ne semble pas varier d'une année sur l'autre alors que chaque femelle pond des centaines d'œufs, le taux de mortalité des jeunes araignées doit être catastrophique. Les oiseaux sont des prédateurs particulièrement menaçants, à en juger par le nombre d'araignées qu'ils capturent pour en nourrir leur nichée. Partout dans le monde, les araignées sont confrontées à leurs propres prédateurs que l'on trouve dans pratiquement tous les groupes de prédateurs existants, y compris chez les insectes, les scolopendres, les scorpions, les reptiles et les amphibiens. Même les mammifères se nourrissent de certaines espèces d'araignées ; c'est ainsi qu'un mygalomorphe, avec son grand corps au riche contenu,

Capable d'éviter le venin mortel de son adversaire, cette guêpe maçonne, noire et jaune, a immobilisé une araignée avec son dard. Le destin de cette dernière consistera à servir de nourriture aux larves de la guêpe.

Chez de nombreuses espèces, telles que cette **Peucetia viridans***, les soins maternels vont au-delà de la période d'éclosion des œufs. Bien qu'actifs, les bébés araignées restent longtemps fragiles et vulnérables aux attaques.*

constitue une proie particulièrement succulente pour un animal en quête de nourriture.

La mort n'est pas toujours instantanée chez les araignées et, pour certaines d'entre elles, celle-ci vient lentement, de manière insidieuse. A l'instar de tous les autres êtres vivants, les araignées sont sujettes à l'attaque de parasites ; c'est ainsi que les guêpes parasites prélèvent un tribut particulièrement lourd. Chez ces guêpes, l'araignée sert non seulement de repas à l'adulte, mais de nourriture vivante pour leur progéniture. En effet, la guêpe parasite pond un œuf ou plusieurs dans, ou parfois sur, le corps d'une araignée qu'elle a paralysée en la perçant avec son dard. La guêpe enterre ensuite l'araignée, parfois dans un terrier qu'elle a creusé elle-même, parfois dans celui de l'araignée, lorsqu'il s'agit d'une espèce qui creuse des terriers. La larve de la guêpe se nourrit, se développe et croît aux dépens du corps de l'araignée qui dépérit peu à peu.

Camouflage et mimétisme

Bon nombre d'araignées ont décidé qu'il valait mieux éviter de commencer par se faire remarquer plutôt que de devoir de ce fait se défendre contre une attaque. Si vous cherchez assez longtemps et avec suffisamment de soin parmi les feuilles, les écorces d'arbres, les brindilles, les fleurs, ou même les déjections d'oiseaux, il est probable que vous repérerez une araignée s'y étant cachée ou camouflée. De nom-

Les proportions de ce spécimen d'épeire (Tetragnatha elongata)*, qui se caractérise par ses longues mâchoires, sont parfaitement adaptées lorsqu'elle doit rester cachée sur la tige d'une plante.*

*L'*Arctosa cinerea*, membre de la famille des lycosidés connu pour se cacher dans le sable, disparaît en effet parfaitement dans cet environnement où elle passe son temps. Il lui arrive d'y creuser un terrier.*

Pressée tout contre l'écorce d'un arbre, cette thomise géante est parfaitement camouflée. Cela lui permet d'éviter d'être repérée par des prédateurs et aussi de se cacher d'une proie potentielle.

Ce spécimen d'épeire (**Epeira raji**) *se tient tapi au centre de son nid, enveloppé dans une feuille que l'araignée a incorporée à la structure de celui-ci.*

Le corps pressé fermement contre son sac d'œufs, cette thomise protège celui-ci du danger. Les araignées femelles sont réputées pour la fougue avec laquelle elles défendent leur descendance lorsqu'un danger la menace.

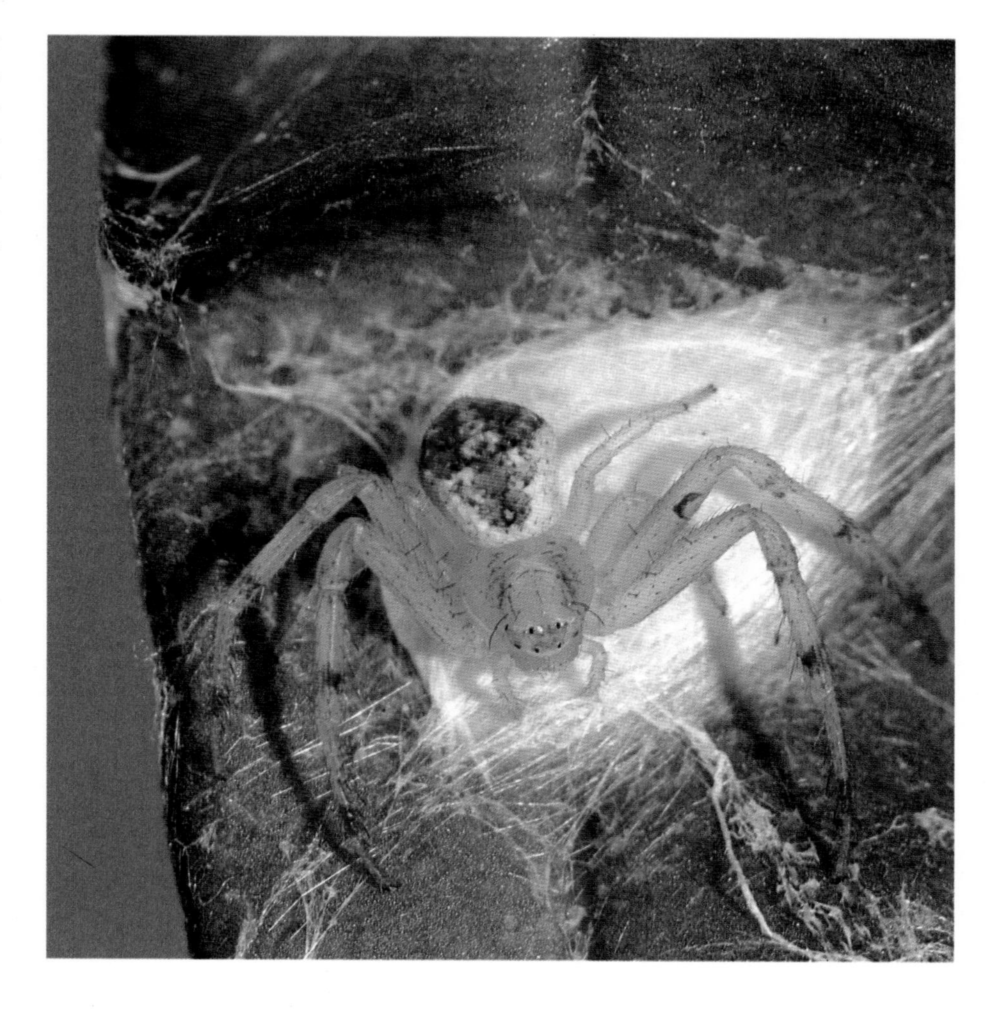

La couleur verte de la **Peucetia viridans** *lui permet de bien se camoufler lorsqu'elle veille sur son sac d'œufs au beau milieu de la végétation.*

Pages suivantes : Il existe peu de meilleur exemple de camouflage que celui que l'on peut finir par déceler ici. La couleur et la forme de cette thomise géante d'Asie du Sud-Est sont parfaitement adaptées à la mousse sur laquelle elle se déplace.

propulsant leur ventre vers l'avant, en direction de l'agresseur, elles projettent un nuage de poils irritants à la face de l'ennemi, ce qui déclenche une réaction douloureuse au niveau de sa peau, de ses yeux, de son nez et de ses organes olfactifs et buccaux.

Une méthode intéressante pour échapper au danger peut être notée chez la *Dolomedes fimbriatus*. Bien que cette araignée puisse atteindre une taille considérable, ses pattes pouvant mesurer jusqu'à 6 cm, elle est capable de marcher sur l'eau grâce à ses poils imperméables. Si un danger la menace, elle s'enfonce sans effort dans l'onde, déjouant ainsi les tentatives de capture de n'importe quel prédateur terrestre.

La phobie des araignées

Il est souvent question des araignées dans la mythologie. Parmi les contes mythologiques grecs, citons simplement celui d'Arachné, une jeune fille transformée en araignée pour avoir osé défier une déesse dans l'art de filer. Elle fut condamnée à filer des toiles toute sa vie, donnant ainsi son nom aux arachnides, classe dont font partie les araignées. La capacité de construire une toile, qui caractérise les araignées, est évoquée dans les religions et les légendes folkloriques de nombreux autres pays. Par exemple, la retraite de Mahomet, était cachée par une toile d'araignée et c'est l'exemple de la détermination inébranlable d'une araignée, qui ne cessait de construire sa toile, qui a poussé le héros écossais Robert Bruce à ne pas renoncer à l'indépendance de l'Ecosse...
Nombreux sont ceux qui éprouvent une légère crainte à l'égard des araignées, sinon parfois de l'aversion, tout en les respectant. Mais, pour un petit nombre de personnes, cette antipathie prend la forme d'une crainte pathologique, appelée arachnophobie. Bien qu'au sens strict du terme, cette phobie puisse concerner tous les membres de la classe des arachnides, il ne fait guère de doute que, généralement, ces personnes ont peur des araignées proprement dites.

La vitesse à laquelle les araignées se déplacent et la vue de leurs pattes poilues, et souvent longues, peuvent engendrer un certain dégoût mais une véritable peur des araignées repose sur des sentiments irrationnels, en fait sur rien. En Europe, par exemple, aucune araignée n'est venimeuse pour l'homme, bien qu'un petit nombre d'araignées puissent, si elles sont provoquées, mordre qui les attaque, morsure quand même douloureuse.

De la même façon, en Amérique du Nord où vit la dangereuse veuve noire, l'incidence des accidents mortels dus à une morsure de cette araignée est insignifiante par rapport aux accidents mortels provoqués par la route — même si une telle morsure a bel et bien des conséquences dramatiques pour ceux qui l'ont subie. En réalité, si l'on considère le nombre d'insectes nuisibles qu'elles tuent, les araignées sont un bienfait pour l'homme.

Connue en Amérique sous le nom de tarentule, cette énorme araignée mygalomorphe fait partie de la famille des théraphosidés. Elle vit dans les forêts tropicales humides et, ici, on peut voir qu'elle a réussi à attraper un très jeune gecko.

Rares seraient les animaux suffisamment étourdis pour aller fouiller dans ces sacs d'œufs si jalousement gardés par cette femelle de veuve noire, dont une seule morsure peut être mortelle.

INDEX

*Les numéros des pages indiqués en **gras** correspondent à celles comportant des légendes de photo.*